まちごとインド
北インド015

サールナート
ブッダ説法の「鹿野苑」
［モノクロノートブック版］

JN118532

ヒンドゥー教の聖地バラナシの郊外に位置するサール
ナートは、悟りを開いたブッダがはじめてその教えを説
いたところで、「初転法輪の地（初めて法の輪を転開させ
た）」と呼ばれる。ブッダがここを選んだのは、かつて苦行
をともにした出家者5人がおり、また聖地バラナシの近
くであえて自らの新しい教えを説きたかったからだとさ
れる。

　サールナートでブッダはかつてともに苦行した仲間
に、八正道（正見、正思、正語、正業、正命、正精進、正念、正
定）や四諦（苦諦、集諦、滅諦、道諦）と呼ばれる真理を説

き、ブッダの話を聴いていた修行者は次々に悟りを開いて、ブッダ最初の弟子となり、紀元前5世紀ごろ仏教教団が生まれた。

その後、仏教の聖地として紀元前3世紀にアショカ王が訪れ、グプタ朝をへて12世紀にいたるまで多くの彫刻がこの地で造形されている（サールナート仏は「もっとも優美な仏像」とされる）。またブッダの生きた時代、鹿が多く棲息していたことから、日本では鹿野苑の名前で知られている。

Asia City Guide Production
North India 015

Sarnath

सारनाथ / سارناتھ

| まちごとインド | 北インド 015 |

サールナート

ブッダ説法の「鹿野苑」

「アジア城市（まち）案内」制作委員会
まちごとパブリッシング

Contents

サールナート ⋯⋯⋯⋯⋯⋯⋯ **007**

ブッダがここで話したこと ⋯⋯⋯ **015**

サールナートいろは ⋯⋯⋯⋯⋯ **019**

サールナート遺跡鑑賞案内 ⋯⋯ **025**

ムルガンダクティ寺院鑑賞案内 ⋯⋯ **035**

サールナート西部城市案内 ⋯⋯ **041**

サールナート東部城市案内 ⋯⋯ **051**

サールナート北部城市案内 ⋯⋯ **055**

バラナシその近く鹿野園 ⋯⋯⋯ **061**

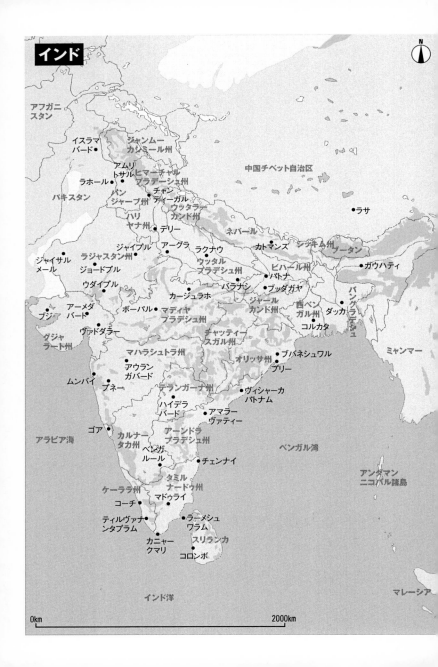

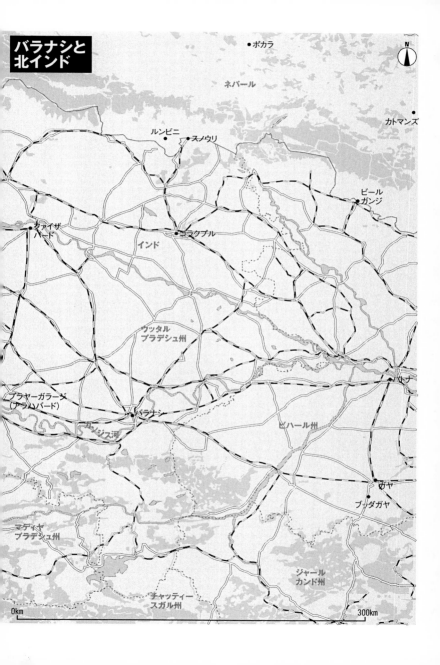

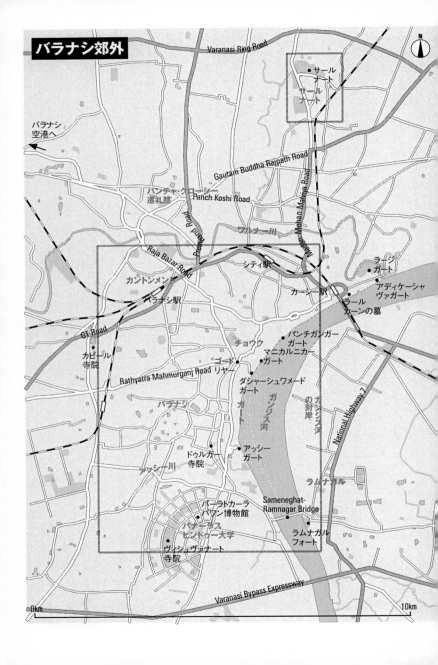

バラナシ

ワルナー川
カントンメント
バラナシ駅
Raja Bazar Road
シティ駅
サールナートへ
GT Road
St. Kabir Road
バラナシ
新市街
Vidyapeeth Lanka Road
バンチガンガー
ガート
バラート
マータ寺院
チョウク
Jal Sarak Road
Raja Shri Motichand Road
マニカルニカー
ガート
Rathyatra Mahmurgenj Road
ゴードリヤー
ダシャーシュワメード
ガート
旧市街
ガ
Godowlia Lanka Road
ケダル
ガート
ガンジス河
の対岸
Durgakund Road
ドゥルガー寺院
アッシー
ガート
ドゥルシー
マーナス寺院
ガンジス河
アッシー川
BHU DLW Road
Ramnagar Road
N
バナーラス
ヒンドゥー大学
ラムナガル
フォート
0km
5km

ブッダがここで話したこと

**正しい道とはなにか、苦しみとはなにか
ブッダの話を聴いた出家者たちは
次々と悟りを開き、その弟子となった**

説法への迷い

初転法輪へいたるまでにブッダが悩んだという言い伝えが残っている。ブッダガヤの菩提樹のもとで瞑想し、ついに悟りを開いたブッダ。けれどもその内容はあまりにも難解だったため、「誰も理解することはできないだろう」とその教えを人々に説くことをあきらめた。そのとき宇宙の創造神であるブラフマー神(梵天)がブッダの前に現れ、その教えを人々に説くことを懇願した。ブッダはそれを二度断ったが、三度目に「聴く耳をもつもの」への説法を決意したのだという。

はじめてその教えを説く

苦行をやめたブッダに対して、5人の出家者(ともに苦行していた)は「彼にあいさつしてはならない。立って迎えてはならない」と決めていたが、ブッダの姿があまりにも神々しいために彼らは敬意をもってブッダを迎えることになった。ここでブッダが説いたのは、悟りへいたるには極端をやめた中道をとるということで、「正しい見解」「正しい思惟」「正しい言葉」「正しい行ない」「正しい生活」「正しい努力」「正しい自覚」「正しい瞑想」を行なうことで解

脱することができるというもの。この八正道については、
『ブッダ物語』(中村元・田辺和子/岩波書店)などにくわしい。

仏教教団の誕生

　ブッダの話に耳をかたむけていた5人の出家者のうち、最初にコンダンニャが悟りを開いて「コンダンニャは悟った」「コンダンニャは悟った」と叫んだ。それから残りの4人も次々と悟り、この5人がブッダの最初の弟子となった。「仏」「法」「僧」の三法が生まれたことから、サールナートの初転法輪をもって仏教の歴史がはじまったとも言われる。はじめは5人の教団(サンガ)だったが、旅をしながらその教えを説いたブッダのもとには多くの信者が身をよせるようになった。

サールナート／ブッダ説法の「鹿野苑」

ともに苦行した5人に教えを説くブッダ

サールナートに残るチャウカンディ・ストゥーパ

ストゥーパは仏舎利をおさめる目的で建てられた

バラナシの北郊外に位置するサールナート

サールナートいろは

ブッダの生きた時代でも
バラナシから半日ほどの距離であったサールナート
初転法輪の地の概説

サールナートのかんたんな歴史

　サールとは「鹿」を、ナートとは「Lord（主）」を意味し、サールナートは鹿野苑の名前でも知られてきた。古くは「リシの集まるところ」を意味するリシパタナ（パーリ語ではイシパタナ）、また「バラナシの王が鹿に解放した園」ムリガダーヴァと呼ばれていた。聖地バラナシから10kmのところに位置するこの場所で、紀元前6〜前5世紀ごろ、ブッダは新しい教え仏教をはじめて語り（「初転法輪」）、のちの紀元前3世紀に仏教に深く帰依したマウリヤ朝のアショカ王によってこのサールナートに仏教徒の街が整備され、寺院や僧院も多く建てられた（中世には、ダルマチャクラと呼ばれていた）。その後、この仏教聖地は1194年に、イスラム勢力をひきいたクトゥブッディーン・アイバク軍によって破壊され、仏教はインドからほとんどついえてしまった。イギリス植民地時代の19世紀にブッダガヤ、ルンビニなどとともにサールナートも「発見」され、スリランカや東南アジアなどの仏教国によってインドの仏教復興が試みられた。とくにスリランカのダルマパーラ（1864〜1933年）が1891年に大菩提協会を設立し、ブッダガヤやサールナート遺跡の整備、聖地化を目指して、仏教復興運動を展開した。

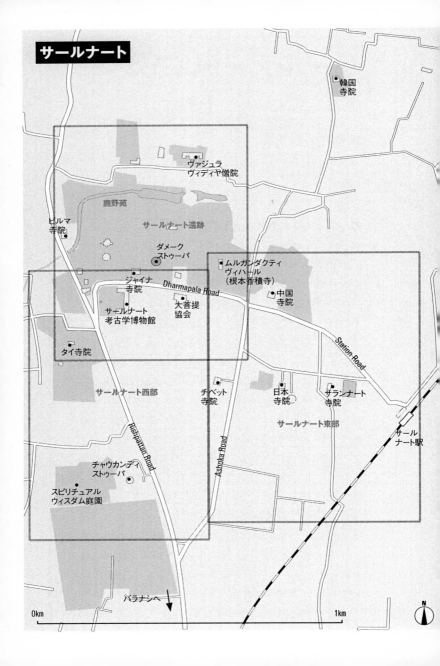

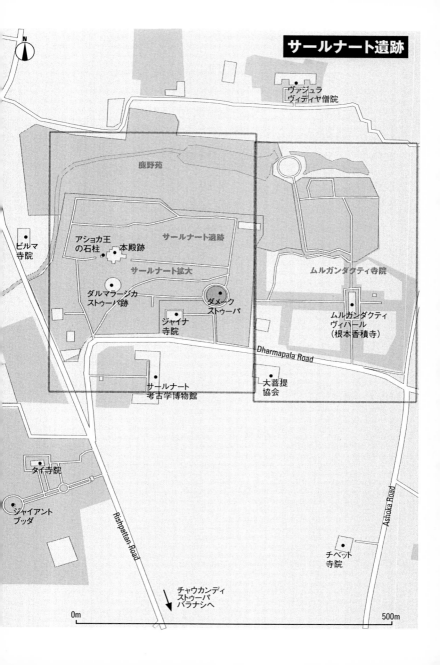

サールナート遺跡

N

ヴァジュラ
ヴィディヤ僧院

鹿野苑

サールナート遺跡

ビルマ
寺院

アショカ王
の石柱   本殿跡

サールナート拡大

ムルガンダクティ寺院

ダルマラージカ
ストゥーパ跡

ジャイナ
寺院

ダメーク
ストゥーパ

ムルガンダクティ
ヴィハール
（根本香積寺）

Dharmapala Road

サールナート
考古学博物館

大菩提
協会

タイ寺院

ジャイアント
ブッダ

Rishpattan Road

Ashoka Road

チベット
寺院

チャウカンディ
ストゥーパ
バラナシへ

0m   500m

サールナートの構成

　サールナートは、ヒンドゥー教最高の聖地であるバラナシの北10kmの地点に位置する。バラナシ・シティ駅から北に道が伸び、また線路も並行して北に走る。サールナート遺跡に近づくと、道は西のリシパッタン・ロード、東のアショカ・ロードというように、「Y」の字状にふたつにわかれ、逆二等辺三角形をつくり、その底部を東西にダルマパーラ・ロードが走る。ダルマパーラ・ロードの北側がサールナート遺跡で、通りの南側にはサールナート考古学博物館が立つ。これらの通りの名前は、いずれもサールナートゆかりの人物などからとられている。リシパタナ・ロード側にはチャウカンディ・ストゥーパ、タイ寺院やビルマ寺院が位置し、アショカ・ロード側にはチベット寺院、日本寺院があり、こちらの東部にはバザール、ヒンドゥー寺院、鉄道駅が位置する。またダルマパーラ・ロードには、ダルマパーラのつくった大菩提協会も見られる。

★★★
サールナート遺跡 *Sarnath*
★★☆
ダメーク・ストゥーパ *Dhamekh Stupa*
ムルガンダ・クティ・ヴィハール（根本香積寺） *Mulgandha Kuti Vihar*
サールナート考古学博物館 *Sarnath Archaeological Museum*
チャウカンディ・ストゥーパ *Chaukhandi Stupa*
★☆☆
ダルマラージカ・ストゥーパ跡 *Dharmarajika Stupa*
本殿跡 *The Main Shrine*
アショカ王の石柱 *Ashoka Pillar*
大菩提協会 *Maha Bodhi Society*
ジャイナ寺院 *Jain Mandir*
ビルマ寺院 *Burmese Temple*
タイ寺院（ジャイアント・ブッダ） *Wat Thai Temple*
スピリチュアル・ウィスダム庭園 *The Garden of Spiritual Wisdom*
サランナート寺院 *Sarang Nath Mandir*
日本寺院（日月山法輪寺） *Japanese Temple*
チベット寺院 *Tibetan Temple*
中国寺院 *Chinese Temple*
鹿野苑 *Deer Park*
ヴァジュラ・ヴィディヤ僧院 *Vajra Vidya Institute*

仏教四大聖地

ルンビニ
ブッダが生まれた「生誕の地」

ブッダガヤ
悟りを開いた「成道の地」

サールナート
はじめて教えを説いた「初転法輪の地」

クシナガル
涅槃へいたった「入滅の地」

Sarnath

サールナート遺跡鑑賞案内

古代インド仏教の聖地サールナートは
13世紀にはほとんど忘れられた存在だった
19世紀に「発見」され、仏教の復興運動がはじまった

サールナート遺跡 ★★★
Archaeological Buddhist Remains of Sarnath
ⓣ सारनाथ का पुरातत्व बौद्ध अवशेष／ⓙ さるな…

　ブッダが生まれた「ルンビニ(生誕の地)」、悟りを開いた「ブッダガヤ(成道の地)」、沙羅双樹のしたで涅槃にいたった「クシナガラ(入滅の地)」とならんで、はじめてその教えを説いた「サールナート(初転法輪の地)」は仏教四大聖地のひとつにあげられる。サールナートでブッダははじめて説法を行ない、サンガをつくった場所であることから、仏教徒にとって重要な意味をもち、紀元前3世紀のアショカ王の時代には仏教信仰の中心地となっていた。当時、仏教徒の街が建設され、多くの寺院や僧院が見られたという。「垣を連ねて周囲に廻らしている。幾層にもした軒、何階にもした閣は、その麗しきを構想を極めたものである」と玄奘三蔵(602〜664年)は記している。イスラム教の侵攻、ヒンドゥー教ヴィシュヌ派への吸収などによって、13世紀以後、仏教はインドから姿を消したため、サールナートにも数本の樹木が残る草むらが広がっていた(1794年にバラナシ藩王国チェートシンの宰相ジャガット・シンが、サールナート遺跡の材料をジャガット・ガンジ建設のために運び出した)。イギリス植民地時代の1835〜36年、アレクサンダー・カニンガムによってサールナート遺跡の発掘が進み、ここが仏教聖地であ

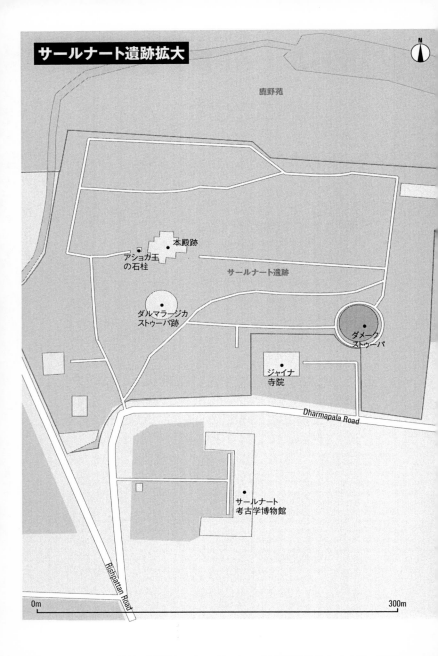

サールナート遺跡拡大

N

鹿野苑

本殿跡

アショカ王
の石柱

サールナート遺跡

ダルマラージカ
ストゥーパ跡

ダメーク
ストゥーパ

ジャイナ
寺院

Dharmapala Road

サールナート
考古学博物館

Rishpatten Road

0m

300m

ることが「発見」された。その後、仏教徒による復興運動も
あいまって遺跡は保護され、現在は東西300m、南北200m
の敷地内にダメーク・ストゥーパはじめ、仏教を保護した
マウリヤ朝、クシャン朝からパーラ朝にかけての遺構が
残っている。

ダメーク・ストゥーパ ★★☆
Dhamekh Stupa ㊅ धामेक स्तूप ㊆ دھامیک اسٹوپ

　サールナートの象徴的建物となっているダメーク・ス
トゥーパ。ダメークとは「法を観ずること」を意味する。
高さ43.6mのストゥーパは、直径28mの巨大な円筒形基
部のうえに、それより少し細い円筒が載る特徴的な姿を
していて、上部はくずれている。500年ごろに建てられた
ものだとされ、下部の壁面にはグプタ朝時代の唐草文様、
幾何学文様の装飾がほどこされている(紀元前200年ごろのマ
ウリヤ朝のレンガも出土しており、現在の構造はそのうえにつくられてい
る)。ダルマチャクラ・ストゥーパとも呼ばれていた。

ダルマラージカ・ストゥーパ跡 ★☆☆
Dharmarajika Stupa ㊅ धर्मराजिका स्तूप ㊆ دھرمراجیکا اسٹوپ

　ダメーク・ストゥーパとならぶストゥーパだったが、こ
ちらは当時の姿が見られなくなっているダルマラージ
カ・ストゥーパ跡。紀元前250年ごろ、アショカ王によっ
て建てられた小さな塔を中心に、何度もおおうように増

★★★
サールナート遺跡 *Sarnath*

★★☆
ダメーク・ストゥーパ *Dhamekh Stupa*
サールナート考古学博物館 *Sarnath Archaeological Museum*

★☆☆
ダルマラージカ・ストゥーパ跡 *Dharmarajika Stupa*
本殿跡 *The Main Shrine*
アショカ王の石柱 *Ashoka Pillar*
ジャイナ寺院 *Jain Mandir*
鹿野苑 *Deer Park*

改築され続け、当時のものから6倍以上の大きさとなっていた(ストゥーパを最後に拡張したのは12世紀のこと)。1794年、バラナシ藩王の宰相であったジャガット・シンがレンガを転用したため破壊され、埋葬されていた舎利容器もガンジス河に流されてしまった。玄奘三蔵は「精舎の西南に石造りの窣堵波がある。無憂王が建てたものである。基壇は崩れ傾いているが、今も百尺に余るほどである」(『大唐西域記』)と記している。

本殿跡 ★☆☆
The Main Shrine　ⓔ मूलगंध कुटी／ⓤ ملكنده كتى

　ブッダが雨安居を行なった場所に立っていたサールナートの大精舎、本殿跡。この精舎をムルガンダ・クティ(根本香堂)と言い、ブッダガヤの大精舎と同じ構造の建築だったと考えられ、高さは61mにもなったという。サールナートはこの本殿とダルマラージカ・ストゥーパを中心としてグプタ朝(320〜550年ごろ)時代にもっとも栄えていた。ブッダはこの場所で、東向きに坐って、はじめて法輪を転じた(その教えを説いた)と言われ、この本殿の入口も東側にあった。12世紀に破壊されて現在にいたる。サールナート遺跡に隣接するムルガンダ・クティ・ヴィハール(根本香積寺)は、この本殿跡のムルガンダ・クティ(根本香堂)の再建を目指したもの。

アショカ王の石柱 ★☆☆
Ashoka Pillar　ⓔ अशोक स्तंभ／ⓤ اشوك ستمب

　仏教に帰依し、各地にストゥーパを建てるなど、仏教を保護したアショカ王の石柱。1904年に本殿の発掘調査を行なったときに発見された。いくつかに折れ、周囲を高さ1.45m、長さ2.54mの柵で囲まれている。紀元前3世紀にこの石柱が建てられたときには、上部に獅子の像(インドの国章となっている)が載っていたが、現在は考古学博物館に展

かつての僧院の基壇が残る

サールナートを象徴する建築、ダメーク・ストゥーパ

アショカ王によって建立された石柱

石柱はバラナシ近くのチュナール産でガンジス水系で運ばれた

示されている。サールナートやルンビニなど、各地にアショカ王の石柱が建立されたが、これらの石柱はバラナシの南に位置するチュナールで制作され、ガンジス河の水利を使って運ばれたという。

Mulgandha Kuti Vihar
ムルガンダクティ寺院
鑑賞案内

1891年、サールナートの荒廃を嘆いた
スリランカのダルマパーラはこの地を再び
仏教聖地にするべく運動をはじめた

ムルガンダ・クティ・ヴィハール (根本香積寺) ★★☆
Mulgandha Kuti Vihar ⓣ मूलगंध कुटी विहार ⓗ ملگند کتی ویہار

　700年ものあいだ荒廃していた聖地サールナートの復興を願って1931年に建てられたムルガンダ・クティ・ヴィハール(根本香積寺)。仏教復興運動を進めたスリランカのダルマパーラ(1864～1933年) によるもので、スリランカ寺院とも、初転法輪寺とも呼ぶ。堂内は南北に細長く、北に本尊、東、西、南に日本人画家の野生司香雪(1885～1973年)の仏画『釈迦一代記』が残っている(全長44m、高さは4.3m以上で、日本の法隆寺にも意匠が伝わったアジャンタ壁画を参考に、人物は描かれている)。横はばに対して、高さのある寺院で、かつてこの地にあったムルガンダ・クティ (根本香堂)の名前がつけられている。

日本からサールナートへ

　1868年以降の明治維新によって、アジア諸国のなかでいち早く文明化を進めた日本には、インドをふくむ国々が注目していた。こうしたなか、20世紀初頭には岡倉天心がインドを訪れ、タゴール(アジア人初のノーベル賞受賞者)と面会するなど、日印間の交流の機運が高まっていた。1931年創建のムルガンダ・クティ・ヴィハール(根本香積寺)の内

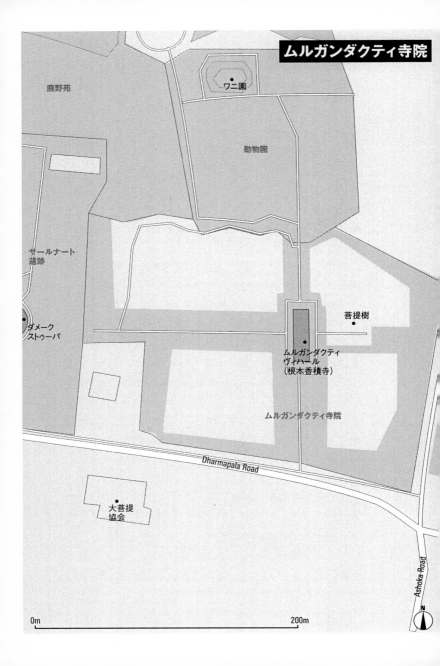

ムルガンダクティ寺院

鹿野苑

ワニ園

動物園

サールナート
遺跡

ダメーク
ストゥーパ

菩提樹

ムルガンダクティ
ヴィハール
（根本香積寺）

ムルガンダクティ寺院

Dharmapala Road

大菩提
協会

Ashoka Road

0m   200m

N

部に描く仏教画の画家は、タゴールの意見もあって仏教国であり、当時の先進国であった日本から招かれることになった（岡倉天心のほか、横山大観らが日印の架け橋となっていた）。野生司香雪(1885〜1973年)は、1932年〜1936年に自ら炊事をこなしながら、ここサールナートで制作を続けて4年間で絵画を完成させた。当初の予定より時間がかかったのはインドの猛暑を避けるため、冬の12〜翌3月にしか描くことができなかったからだという。

菩提樹 ★☆☆
Bodhi Tree／ⓗ पिप्पल　ⓤ پیپل

　ムルガンダ・クティ・ヴィハール(根本香積寺)の東側に残る菩提樹。紀元前5世紀ごろ、ブッダはブッダガヤの菩提樹のもとで悟りを開いた。以来、この菩提樹は神聖視され、そこから分け木した菩提樹がスリランカのアヌラーダプラムに遷されていた。サールナートの発見、復興にあたって、スリランカよりこの菩提樹の枝がインドに戻されることになった。

大菩提協会 ★☆☆
Maha Bodhi Society／ⓗ महाबोधि सभा／ⓤ مہابودھی سبھا

　サールナートの復興に尽力したスリランカのダルマパーラ(1864〜1933年)による大菩提協会。ブッダガヤやサールナートといった仏教聖地が荒廃し、インドで仏教の伝統がついえた状況(イスラム勢力の侵入、ヒンドゥー教への同

***
サールナート遺跡 *Sarnath*

★★☆
ムルガンダ・クティ・ヴィハール(根本香積寺) *Mulgandha Kuti Vihar*
ダメーク・ストゥーパ *Dhamekh Stupa*

★☆☆
菩提樹 *Bodhi Tree*
大菩提協会 *Maha Bodhi Society*
鹿野苑 *Deer Park*

化)を目のあたりにしたダルマパーラが1891年に設立した。ダルマパーラは私財を投じて土地を買いとるなど、仏教聖地の整備、仏教復興運動を進め、サールナート遺跡に隣接してムルガンダ・クティ・ヴィハール(スリランカ寺)を造営した。マハーボディ・ソサエティとも呼ぶ。

サールナート西部城市案内

サールナートの古名がつけられたリシパッタン・ロード
この通りの両側にはサールナート考古学博物館
ジャイアント・ブッダの立つタイ寺院などが位置する

サールナート考古学博物館 ★★☆

Sarnath Archaeological Museum　ⓔ सारनाथ संग्रहालय／
ⓗ سارناتھ عجائب گھر

　「インドでもっとも優美」とたたえられるサールナート
仏はじめ、サールナートで発掘された美術品が展示され
た考古学博物館。サールナートはアショカ王のマウリヤ
朝(紀元前317〜前180年ごろ)時代から発展し、クシャン朝(紀元
前1世紀〜6世紀ごろ)時代にはマトゥラーとならぶインド美
術の中心地となっていた。その後のグプタ朝(320〜550年ご
ろ)時代、サールナートは芸術性の高い仏像や美術品を生
んで黄金時代を迎えた。サールナート派と呼ばれて、高い
技術をもったサールナートの工房の活動は、パーラ朝(8〜
12世紀)でも続いていた。その後のイスラム勢力の侵入で、
長いあいだサールナートは忘れられていたが、19世紀の
サールナートの「発見」を受けて、サールナート考古学博
物館の建設が決まり、1910年に完成した。獅子、牛、象、馬
の聖獣と法輪が彫られた紀元前3世紀のアショカ王の石
柱、その上部にあった背中をあわせた4頭の獅子像、「歴
史上はじめて仏像がつくられた」クシャン朝時代の高さ
2.4mの仏立像(マトゥラーで制作され、カニシカ王3年の銘をもつ)、
インド美術が花開いたグプタ朝時代の転法輪印を結ぶ仏
坐像(身体に密着した薄い衣が特徴)などの傑作はじめ、紀元前3

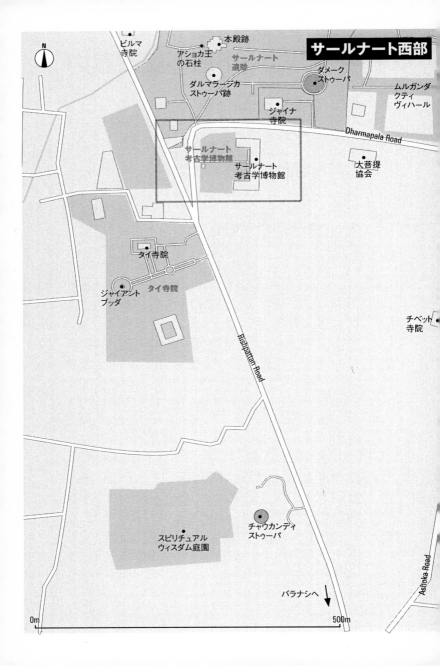

サールナート西部

- ビルマ寺院
- 本殿跡
- アショカ王の石柱
- サールナート遺跡
- ダルマラージカストゥーパ跡
- ダメークストゥーパ
- ムルガンダクティヴィハール
- ジャイナ寺院
- サールナート考古学博物館
- サールナート考古学博物館
- 大菩提協会

Dharmapala Road

- タイ寺院
- タイ寺院
- ジャイアントブッダ
- チベット寺院

Rishipattan Road

- スピリチュアルウィスダム庭園
- チャウカンディストゥーパ

バラナシへ

Ashoka Road

0m   500m

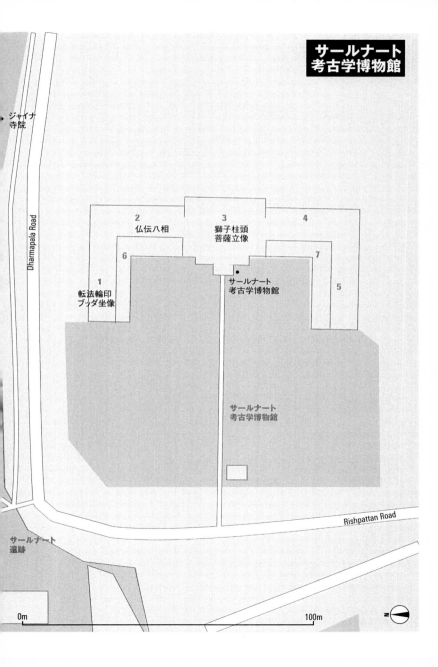

サールナート
考古学博物館

ジャイナ
寺院

Dharmapala Road

2
仏伝八相

3
獅子柱頭
菩薩立像

4

6

7

1
転法輪印
ブッダ坐像

サールナート
考古学博物館

5

サールナート
考古学博物館

Rishpattan Road

サールナート
遺跡

0m

100m

N

世紀から12世紀にいたるサールナートを中心としたインド美術を安置する。5つのギャラリーと2つのベランダからなる。

転法輪印ブッダ坐像 ★★☆
Sitting Buddha Statue／ヒ बुद्ध प्रतिमा／⑦

　サールナート遺跡の発掘中に発見された転法輪印ブッダ坐像。5世紀ごろのグプタ朝時代のもので、温和で優美なたたずまいはインド美術の白眉とされる。台座のうえに結跏趺坐し、親指と人差指で輪をつくる姿を、「転法輪印(説法)」といい、サールナートで行なったブッダの初転法輪が光背(車輪＝ダルマチャクラ)とともに表現されている。ギャラリー1に収蔵され、この意匠のブッダ像はサールナートから多く出土している。

仏伝八相 ★☆☆
Eight Scenes from Life of the Buddha／ヒ बुद्ध प्रतिमा　⑦

　ブッダ生涯の重要な8つの事象が浮き彫りにされた

★★★
サールナート遺跡 Sarnath
★★☆
サールナート考古学博物館 Sarnath Archaeological Museum
転法輪印ブッダ坐像 Sitting Buddha
チャウカンディ・ストゥーパ Chaukhandi Stupa
ダメーク・ストゥーパ Dhamekh Stupa
ムルガンダ・クティ・ヴィハール(根本香積寺) Mulgandha Kuti Vihar
★☆☆
仏伝八相 Eight Scenes from Life of the Buddha
獅子柱頭 Lion Capital of Ashoka
菩薩立像 Standing Buddha
ジャイナ寺院 Jain Mandir
ビルマ寺院 Burmese Temple
タイ寺院(ジャイアント・ブッダ) Wat Thai Temple
スピリチュアル・ウィスダム庭園 The Garden of Spiritual Wisdom
ダルマラージカ・ストゥーパ跡 Dharmarajika Stupa
本殿跡 The Main Shrine
アショカ王の石柱 Ashoka Pillar
大菩提協会 Maha Bodhi Society
チベット寺院 Tibetan Temple

仏伝八相。グプタ朝(320〜550年ごろ)時代のもので、マトゥラーで制作された。高さ96cm、幅62cmの石材を8つにわけ、左下にルンビニでのブッダ誕生、右下にブッダガヤでの降魔成道、左上にサールナートでの初転法輪、右上にクシナガラでの入滅の様子が描かれている(4つの仏伝図にあいだにはそれ以外の事象が見られる)。ギャラリー2に安置されている。

獅子柱頭 ★★★
Lion Capital of Ashoka／Ⓗ अशोक का सिंहचतुर्मुख स्तम्भशीर्ष／
Ⓤ سرستون شیر آشوکا

　インドの国章にもなっているマウリヤ朝アショカ王による獅子柱頭(ライオン・キャピタル)。紀元前250年ごろに制作されたもので、高さ2.31m、バラナシ南のチュナール砂岩を材料とする。4頭のライオンが背中あわせに坐り、前方をにらむこの様式は現在、サーンチーはじめ7つ残っているが、このサールナートのものがもっとも質が高い。冠盤部分には左向きの4種類の聖獣と、4つの法輪が交互に配置されている(時計まわりに行なう仏教の儀式と関係がある)。このライオンの柱は高さ15mほどあったとされ、本来、さらに大きな法輪が載せられていた。柱のうえに動物や植物文様を刻む意匠はイランのペルセポリスとの関係があるという。ギャラリー3で見られる。

菩薩立像 ★☆☆
Standing Buddha Statue／Ⓗ बुद्ध प्रतिमा　Ⓤ مجسمه بودا

　ギャラリー3に立つ高さ182cmの菩薩立像。グプタ朝時代の473年にマトゥラーで制作されたと考えられる。マトゥラーの工房はグプタ朝以後衰退したが、サールナートではパーラ朝(8〜12世紀)時代も造仏が続いた。

インド美術の白眉サールナート仏

ムルガンダ・クティ・ヴィハール（根本香積寺）

見応えあるサールナート考古学博物館

インドの国章にも描かれたアショカ王による獅子

ジャイナ寺院 ★☆☆
Jain Mandir ㊦ जैन मंदिर／㊤ جین مندر

　サールナート遺跡の南側に立つジャイナ教の寺院。ジャイナ教は仏教とほとんど同じ時代、同じ場所で生まれたインド固有の宗教で、不殺生、真実語、不盗、不淫、無所有の戒律をもつ。ジャイナ教祖師ティールタンカラのうち、第7代スパールシュバ、第8代チャンドラプラバ、第11代シュレーヤーンシャ、第23代パールシュヴァナータの4人がバラナシやその近郊で生まれたといい、第11代シュレーヤーンシャはサールナートで、修行し、ここで亡くなったと考えられている（ここが第11代ティールタンカラの生誕地だというが、第22代目までは実在の人物だとはされていない）。そのため、このジャイナ寺院は第11代シュレーヤーンシャに捧げられていて、ジャイナ教白衣派によって1824年に建てられた。本体上部にそびえる印象的な尖塔をもつほか、第24代祖師マハーヴィラの生涯を描いた壁画も見える。

ビルマ寺院 ★☆☆
Burmese Temple ㊦ बर्मी मंदिर ㊤ برمی مندر

　サールナート遺跡の西側に立つビルマ寺院。ビルマは小乗仏教国で、1910年、ビルマの巡礼者のために建てられた。その後、修道院や図書館などが追加されて現在にいたる。

タイ寺院（ジャイアント・ブッダ）★☆☆
Wat Thai Temple ㊦ थाई मंदिर／㊤ تھائی مندر

　緑豊かな敷地に立ち、ワット・タイとも呼ばれるタイ寺院。小乗仏教国タイの仏教寺院を模して建てられているため、鋭角の切妻屋根をもつ。このタイ寺院には高さ80mを超す超巨大な仏立像（ジャイアント・ブッダ）が立ち、右手をあげ、サールナートを鳥瞰している。

チャウカンディ・ストゥーパ ★★☆

Chaukhandi Stupa ⓗ चौखंडी स्तूप／ⓤ چوکھنڈی اسٹوپا

　バラナシからサールナートに向かって進んできたとき
に、最初に立つチャウカンディ・ストゥーパ(サールナート遺
跡からは南へ少し離れている。ちょうど入口にあたる)。5人の出家者
がブッダを迎えたと伝えられる丘に立つストゥーパで、
最初のものはグプタ朝時代の5世紀ごろの創建だという。
現在のストゥーパは、ムガル帝国時代の1588年、第2代フ
マユーン帝を記念して第3代アクバル帝時代に建てられ
た(当時、アクバル帝のもとで知事をしていたラジャ・トダル・マルは、フ
マユーン帝のお供をしてこの地を訪れ、それを記念してラジャ・トダル・マ
ルの息子ゴーヴァルダンが建立した)。そのため、ムガル様式の八
角形のストゥーパとなっていて、ペルシャ語の碑文が残
る。チャウカンディ・ストゥーパからはバラナシとサール
ナートの双方の景色が見える。

スピリチュアル・ウィスダム庭園 ★☆☆

The Garden of Spiritual Wisdom ⓗ गार्डन ऑफ स्पिरिचुअल विजडम
ⓤ روحانی حکمت کا باغ

　庭園と彫刻をくみあわせたスピリチュアル・ウィスダ
ム庭園(スピリチュアルは精神を、ウィスダムは知恵を意味する)。アー
ユル・ヴェーダにもちいられるハーブをはじめとする植
物が集められている。チャウカンディ・ストゥーパの背後
に位置する。

サールナート東部城市案内

サールナート東側には
バザールや鉄道があり
ヒンドゥー寺院や日本寺院も位置する

サランナート寺院 ★☆☆

Sarang Nath Mandir／ⓗ सारंग नाथ मंदिर　ⓤ سارنگ ناتھ مندر

　シヴァ神をまつるヒンドゥー教のサランナート寺院。サールは「鹿」を、ナートは「Lord（主）」を意味し、この寺院がサールナートという地名の由来となった。シヴァ・リンガをまつり、サランナート池が残っている。

日本寺院（日月山法輪寺）★☆☆

Japanese Temple　ⓗ जापानी मंदिर／ⓤ جاپانی مندر

　サールナートに建てられた日本人による日月山法輪寺。寺院は日本風で、黒の屋根瓦を載せる。「日月山」と書かれた扁額が見られる。

チベット寺院 ★☆☆

Tibetan Temple　ⓗ तिब्बती मंदिर　ⓤ تبتی مندر

　1955年に建てられたサールナートのチベット寺院。チベット仏教の釈迦牟尼仏像、タンカ、赤の袈裟のチベット僧などが見られる。門前は2頭の獅子が守り、門は極彩色に彩られている。

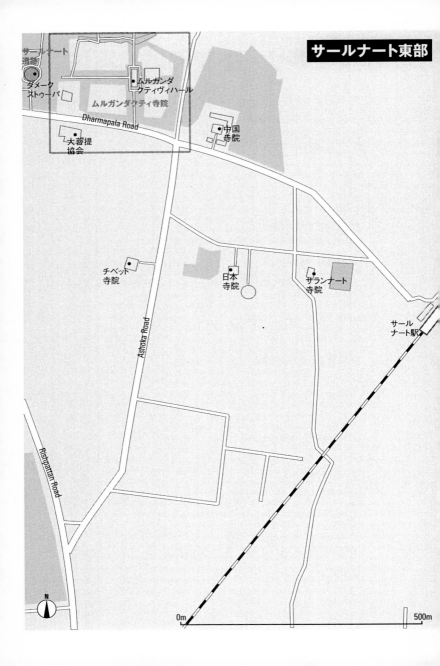

サールナート東部

サールナート遺跡
ダメーク
ストゥーパ
ムルガンダ
クティヴィハール
ムルガンダクティ寺院
Dharmapala Road
中国
寺院
大菩提
協会
チベット
寺院
日本
寺院
サランナート
寺院
Ashoka Road
サール
ナート駅
Rishpattan Road
N
0m   500m

中国寺院 ★☆☆

Chinese Temple ／ ⓣ चाइजीन मंदिर ／ ⓤ چائنیز مندر

　サールナート遺跡の東側に立つ中国寺院。周囲を黄色
の壁に囲まれた中国風の寺院は、1939年に建てられた。
中軸線をもち、中庭には法輪とアショカ王の獅子の柱頭、
本殿にはブッダ坐像が位置する。

★★★
サールナート遺跡 *Sarnath*

★★☆
ダメーク・ストゥーパ *Dhamekh Stupa*
ムルガンダ・クティ・ヴィハール（根本香積寺） *Mulgandha Kuti Vihar*

★☆☆
サランナート寺院 *Sarang Nath Mandir*
日本寺院（日月山法輪寺） *Japanese Temple*
チベット寺院 *Tibetan Temple*
中国寺院 *Chinese Temple*
大菩提協会 *Maha Bodhi Society*

サールナート北部城市案内

**サールナート遺跡のちょうど裏手にあたる北側には
ムリガダーヴァこと鹿野苑が位置し
その東の動物園にはクロコダイルがいる**

鹿野苑 ★☆☆

Deer Park　ⓣ सारनाथ डियर पार्क／ⓤ سارناتھ ڈیر پارک

　サールナートの地名は、シヴァ神の化身である「サーランガ・ナータ（鹿の主）」に由来し、ブッダが生きた時代、サールナートには多くの野鹿が棲息していた。当時、このあたりには森が茂り、出家者が苦行を行なっていたが、バラナシのブラフマダッタ王が「鹿の園」として整備したという。4～5世紀に生きた中国の仏教僧法顕は「バーラーナシー城の東北十里ばかりの処に、仙人鹿野苑精舎がある。この苑にはもと辟支仏が住んでおり、常に野鹿がここに棲息していた」と記録している。日本では鹿野苑の名前は広く知られ、奈良公園の鹿は、サールナートをモチーフとしている。

ヴァジュラ・ヴィディヤ僧院 ★☆☆

Vajra Vidya Institute　ⓣ वज्रविद्य मंदिर／ⓤ وجرہ ودیا مندر

　チベット仏教の僧が修行するヴァジュラ・ヴィディヤ僧院。ヴァジュラ・ヴィディヤとは「金剛明知」を意味し、1993年に基礎が築かれたあと、1999年にダライ・ラマ法王とカギュ派によって正式に発足した。極彩色に彩られ、黄金色の屋根瓦を載せることから、ゴールデン・テンプルともいう（チベット仏教各派からの影響を受けた建築となっている）。

サールナート北部

韓国
寺院

ヴァジュラ
ヴィディヤ僧院

鹿野苑

サールナート遺跡

ビルマ
寺院

ダメーク
ストゥーパ

ムルガンダ
クティヴィハール

ジャイナ
寺院

Dharmapala Road

中国
寺院

大菩提
協会

サールナート
考古学博物館

Station Road

タイ寺院

サールナート西部

チベット
寺院

日本
寺院

サランナート
寺院

Rishipattan Road

Ashoka Road

サールナート東部

サール
ナート駅

チャウカンディ
ストゥーパ

スピリチュアル
ウィズダム庭園

バラナシへ

0km

1km

N

釈迦牟尼像が安置されている。

★★★
サールナート遺跡 *Sarnath*

★★☆
ダメーク・ストゥーパ *Dhamekh Stupa*
ムルガンダ・クティ・ヴィハール（根本香積寺） *Mulgandha Kuti Vihar*
サールナート考古学博物館 *Sarnath Archaeological Museum*
チャウカンディ・ストゥーパ *Chaukhandi Stupa*

★☆☆
大菩提協会 *Maha Bodhi Society*
ジャイナ寺院 *Jain Mandir*
ビルマ寺院 *Burmese Temple*
タイ寺院（ジャイアント・ブッダ） *Wat Thai Temple*
スピリチュアル・ウィスダム庭園 *The Garden of Spiritual Wisdom*
サランナート寺院 *Sarang Nath Mandir*
日本寺院（日月山法輪寺） *Japanese Temple*
チベット寺院 *Tibetan Temple*
中国寺院 *Chinese Temple*
鹿野苑 *Deer Park*
ヴァジュラ・ヴィディヤ僧院 *Vajra Vidya Institute*

バラナシその近く鹿野園

ブッダがその教えをはじめて説いたサールナート
そこはヒンドゥー教最大の聖地バラナシにごく近い
ブッダはこの地をあえて選んだのだろうか

バラモンの時代

　雷や水、火といった自然を神格化した『ヴェーダ』の宗教をもったアーリア人は、紀元前1500年ごろにインドに侵入し、先住民族を武力で制圧するようになっていた。このアーリア人がガンジス河中流域に進出したのが紀元前1000年ごろで、やがて先住民と混血しながら、その宗教体系を整えていった。その教えはバラモン（司祭）、クシャトリヤ（武士）、ヴァイシャ（商人）、シュードラ（奴隷）という身分制度がもとになり、バラモンによる祭祀で人々は救済されるというものだった。これが後にヒンドゥー教へと展開するバラモン教で、バラナシは古くからバラモン教の聖地となっていた。

新たな思想の誕生

　紀元前5世紀ごろになると、都市が形成されるようになり、王族や商人をはじめとする新たな層が台頭した。「祭祀によって救済される」といったそれまでのバラモン教に対し、社会の変化にこたえるように新たな思想がいくつも生まれていた。仏教を創始したブッダやジャイナ教を創始したマハービーラは、ともにバラモン階級ではな

くクシャトリヤ階級の出身で、その宗教は王族や商人などの新たな層に浸透していった。そのためブッダがバラナシ（バラモン教の聖地）近くのサールナートで最初の説法を行なったという事実は、バラモン教を意識したものだと考えられている。

祭祀で救済されるか

　ガンジス河に面したバラナシのガート（岸辺）では、現在でも沐浴して自らを清める人々の姿が見られる。ブッダは宗教的行為としての沐浴に疑問を感じ、「河の水で沐浴することで清められるなら、もっとも徳の高いのは河に住む魚である」と考えていたという。そのほかにも生贄を捧げる火を使った祭祀による救済、生まれながら尊いとされたバラモン階級にある人々に対して否定的で、「（祭祀や生まれでなく）人はその行ないによって解脱へいたる」といった教えを広めたとされる。こういった仏教の教えは、当時のインドにあって、それまでの価値観をくつがえすような思想をもっていた。

ヤサの帰依

　ブッダが生きた時代、バラナシは経済的に豊かな商人が多く暮らす商業都市で、そのなかでも有名な商人の息子にヤサという青年がいた。ヤサは贅沢な暮らしを送っていたが、満たされることなく、ある日、バラナシ郊外をひとりで歩いていた。そんな姿を見たブッダは、ヤサのために説法を行ない、「貧しい人や宗教者に与えることの大切さ（施論）」「自分の欲をおさえ道徳を守ることの大切さ（戒論）」「こうした行ないをしていれば天に召されること（生天論）」を説いた。ブッダの教えに感銘を受けたヤサは出家を決意し、続いてヤサを探しに来た父親も仏教に帰

鹿がいた鹿野園、奈良大仏の鹿はサールナートに由来する

インドでもっとも優美だとされるサールナート仏

ブッダは沐浴することに疑問を唱えた

出家者たちがブッダを迎えた場所に立つチャウカンディ・ストゥーパ

依した。こうしてヤサの家族は在家信者として仏教教団の経済支援を行なうことになった。ヤサの一家が仏教に帰依したという知らせは、またたくまにバラナシ中に広まり、ブッダとその教えは多くの信者を獲得するようになったという。

バラナシその近く鹿野園

『ゴータマ・ブッダ』(中村元/春秋社)

『ガンジスの聖地』(中村元・肥塚隆/講談社)

『仏陀を歩く』(白石凌海/講談社)

『北インド』(辛島昇・坂田貞二/山川出版社)

『インド建築案内』(神谷武夫/TOTO出版)

『世界美術大全集 東洋編 第13巻インド』(小学館)

『インドの聖地考』(斎藤昭俊／国書刊行会)

『世界大百科事典』(平凡社)

『日印友好の懸橋--野生司香雪とサールナート、ムラガンダー寺院壁画』(吉田千鶴子/
早稲田大学會津八一記念博物館研究紀要)

野生司香雪 インドの仏伝壁画保全プロジェクト https://nosu.info/

『Guide to the Buddhist ruins of Sarnath』(Daya Ram Sahni/Manager of Publications)

Welcome To Archaeological Museum Sarnath http://www.sarnathmuseumasi.org/

VAJRA VIDYA INSTITUTE https://vajravidya.org/

Uttar Pradesh http://uttarpradesh.gov.in/

District Varanasi, Government of Uttar Pradesh https://varanasi.nic.in/

Garden of Spiritual Wisdom http://www.gardenofspiritualwisdom.org/

Times of India: News - https://timesofindia.indiatimes.com/

Banaras Hindu University, Varanasi https://www.bhu.ac.in/

『Buddhism at Sārnāth』(Anand Singh/Primus Books)

『Catalogue of the museum of archaeology at Sarnath』(Daya Ram Sahni・J.Ph. Vogel/
Indological Book House)

OpenStreetMap

(C)OpenStreetMap contributors

サールナート／ブッダ説法の「鹿野苑」

まちごとパブリッシングの旅行ガイド

Machigoto INDIA , Machigoto ASIA , Machigoto CHINA

北インド-まちごとインド

001 はじめての北インド
002 はじめてのデリー
003 オールド・デリー
004 ニュー・デリー
005 南デリー
012 アーグラ
013 ファテープル・シークリー
014 バラナシ
015 サールナート
022 カージュラホ
032 アムリトサル

016 アジャンタ
021 はじめてのグジャラート
022 アーメダバード
023 ヴァドダラー (チャンパネール)
024 ブジ (カッチ地方)

東インド-まちごとインド

002 コルカタ
012 ブッダガヤ

西インド-まちごとインド

001 はじめてのラジャスタン
002 ジャイプル
003 ジョードプル
004 ジャイサルメール
005 ウダイプル
006 アジメール (プシュカル)
007 ビカネール
008 シェカワティ
011 はじめてのマハラシュトラ
012 ムンバイ
013 プネー
014 アウランガバード
015 エローラ

南インド-まちごとインド

001 はじめてのタミルナードゥ
002 チェンナイ
003 カーンチプラム
004 マハーバリプラム
005 タンジャヴール
006 クンバコナムとカーヴェリー・デルタ
007 ティルチラパッリ
008 マドゥライ
009 ラーメシュワラム
010 カニャークマリ
021 はじめてのケーララ
022 ティルヴァナンタプラム
023 バックウォーター (コッラム～アラップーザ)

024 コーチ（コーチン）
025 トリシュール

006 ムルタン

ネパール-まちごとアジア

001 はじめてのカトマンズ
002 カトマンズ
003 スワヤンブナート
004 パタン
005 バクタブル
006 ポカラ
007 ルンビニ
008 チトワン国立公園

イラン-まちごとアジア

001 はじめてのイラン
002 テヘラン
003 イスファハン
004 シーラーズ
005 ペルセポリス
006 パサルガダエ（ナグシェ・ロスタム）
007 ヤズド
008 チョガ・ザンビル（アフヴァーズ）
009 タブリーズ
010 アルダビール

バングラデシュ-まちごとアジア

001 はじめてのバングラデシュ
002 ダッカ
003 バゲルハット（クルナ）
004 シュンドルボン
005 ブティア
006 モハスタン（ボグラ）
007 パハルプール

北京-まちごとチャイナ

001 はじめての北京
002 故宮（天安門広場）
003 胡同と旧皇城
004 天壇と旧崇文区
005 瑠璃廠と旧宣武区
006 王府井と市街東部
007 北京動物園と市街西部
008 頤和園と西山
009 盧溝橋と周口店
010 万里の長城と明十三陵

パキスタン-まちごとアジア

002 フンザ
003 ギルギット（KKH）
004 ラホール
005 ハラッパ

サールナート／ブッダ説法の「鹿野苑」

天津-まちごとチャイナ

001 はじめての天津
002 天津市街
003 浜海新区と市街南部
004 薊県と清東陵

上海-まちごとチャイナ

001 はじめての上海
002 浦東新区
003 外灘と南京東路
004 淮海路と市街西部
005 虹口と市街北部
006 上海郊外（龍華・七宝・松江・嘉定）
007 水郷地帯（朱家角・周荘・同里・甪直）

河北省-まちごとチャイナ

001 はじめての河北省
002 石家荘
003 秦皇島
004 承徳
005 張家口
006 保定
007 邯鄲

江蘇省-まちごとチャイナ

001 はじめての江蘇省
002 はじめての蘇州
003 蘇州旧城
004 蘇州郊外と開発区
005 無錫
006 揚州
007 鎮江
008 はじめての南京
009 南京旧城
010 南京紫金山と下関
011 雨花台と南京郊外・開発区
012 徐州

浙江省-まちごとチャイナ

001 はじめての浙江省
002 はじめての杭州
003 西湖と山林杭州
004 杭州旧城と開発区
005 紹興
006 はじめての寧波
007 寧波旧城
008 寧波郊外と開発区
009 普陀山
010 天台山
011 温州

福建省-まちごとチャイナ

001 はじめての福建省
002 はじめての福州
003 福州旧城
004 福州郊外と開発区
005 武夷山

006 泉州
007 厦門
008 客家土楼

広東省-まちごとチャイナ

001 はじめての広東省
002 はじめての広州
003 広州古城
004 天河と広州郊外
005 深圳(深セン)
006 東莞
007 開平(江門)
008 韶関
009 はじめての潮汕
010 潮州
011 汕頭

遼寧省-まちごとチャイナ

001 はじめての遼寧省
002 はじめての大連
003 大連市街
004 旅順
005 金州新区
006 はじめての瀋陽
007 瀋陽故宮と旧市街
008 瀋陽駅と市街地
009 北陵と瀋陽郊外
010 撫順

重慶-まちごとチャイナ

001 はじめての重慶
002 重慶市街
003 三峡下り(重慶～宜昌)
004 大足
005 重慶郊外と開発区

四川省-まちごとチャイナ

001 はじめての四川省
002 はじめての成都
003 成都旧城
004 成都周縁部
005 青城山と都江堰
006 楽山
007 峨眉山
008 九寨溝

香港-まちごとチャイナ

001 はじめての香港
002 中環と香港島北岸
003 上環と香港島南岸
004 尖沙咀と九龍市街
005 九龍城と九龍郊外
006 新界
007 ランタオ島と島嶼部

マカオ-まちごとチャイナ

001 はじめてのマカオ

002 セナド広場とマカオ中心部

003 媽閣廟とマカオ半島南部

004 東望洋山とマカオ半島北部

005 新口岸とタイパ・コロアン

009 バスに揺られて「自力で保定」

010 バスに揺られて「自力で清東陵」

011 バスに揺られて「自力で潮州」

012 バスに揺られて「自力で汕頭」

013 バスに揺られて「自力で温州」

014 バスに揺られて「自力で福州」

015 メトロに揺られて「自力で深圳」

Juo-Mujin（電子書籍のみ）

Juo-Mujin香港縦横無尽

Juo-Mujin北京縦横無尽

Juo-Mujin上海縦横無尽

Juo-Mujin台北縦横無尽

見せよう! 上海で中国語

見せよう! 蘇州で中国語

見せよう! 杭州で中国語

見せよう! デリーでヒンディー語

見せよう! タージマハルでヒンディー語

見せよう! 砂漠のラジャスタンでヒンディー語

自力旅游中国Tabisuru CHINA

001 バスに揺られて「自力で長城」

002 バスに揺られて「自力で石家荘」

003 バスに揺られて「自力で承徳」

004 船に揺られて「自力で普陀山」

005 バスに揺られて「自力で天台山」

006 バスに揺られて「自力で秦皇島」

007 バスに揺られて「自力で張家口」

008 バスに揺られて「自力で邯鄲」

まちごとパブリッシングの旅行ガイド

旅のインド文字

英語
ヒンディー語
ウルドゥー語

英語 ＝ アルファベット
ヒンディー語 ＝ デーヴァナーガリー文字
ウルドゥー語 ＝ ウルドゥー文字

サールナート
Sarnath

सारनाथ

سارناتھ

サールナート遺跡
Archaeological Buddhist Remains of Sarnath

सारनाथ का पुरातत्व बौद्ध अवशेष

سارناتھ

ダメーク・ストゥーパ
Dhamekh Stupa

धामेक स्तूप

دھمیک اسٹوپا

ダルマラージカ・ストゥーパ跡
Dharmarajika Stupa

धर्मराजिका स्तूप

دھرماراجیکا سٹوپا

本殿跡
The Main Shrine

मूलगंध कुटी

ملگندا کٹی

アショカ王の石柱
Ashoka Pillar

अशोक स्तंभ

اشوکا ستون

ムルガンダ・クティ・ヴィハール（根本香積寺）
Mulgandha Kuti Vihar

मूलगंध कुटी विहार

ملگندا کٹی

菩提樹
Bodhi Tree

पिप्पल

پیپل

大菩提協会
Maha Bodhi Society

महाबोधि सभा

مہا بودھی سوسلٹی

サールナート考古学博物館
Sarnath Archaeological Museum

सारनाथ संग्रहालय

سارناتھ میوزیم

転法輪印ブッダ坐像
Sitting Buddha Statue

बुद्ध प्रतिमा

بدھ کا مجسمہ

仏伝八相
Eight Scenes from Life of the Buddha

बुद्ध प्रतिमा

بدھ کا مجسمہ

アショカ王のライオン像
Lion Capital of Ashoka

अशोक का सिंहचतुर्मुख
स्तम्भशीर्ष

سر ستون شیر آشوکا

菩薩立像
Standing Buddha Statue

बुद्ध प्रतिमा

بدھ کا مجسمہ

ジャイナ寺院
Jain Mandir

जैन मंदिर

جین مندر

ビルマ寺院
Burmese Temple

बर्मी मंदिर

میانمار مندر

タイ寺院(ジャイアント・ブッダ)
Wat Thai Temple

थाई मंदिर

تھائی مندر

チャウカンディ・ストゥーバ
Chaukhandi Stupa

चौखंडी स्तूप

چوکھنڈی اسٹوپا

スピリチュアル・ウィスダム庭園
The Garden of Spiritual Wisdom

गार्डन ऑफ स्पिरिचुअल
विजडम

روحانی حکمت کا باغ

サランナート寺院
Sarang Nath Mandir

सारंग नाथ मंदिर

سارنگ ناتھ مندر

日本寺院(日月山法輪寺)
Japanese Temple

जापानी मंदिर

جاپانی مندر

チベット寺院
Tibetan Temple

तिब्बती मंदिर

تبتی مندر

中国寺院
Chinese Temple

चाइजीन मंदिर

چینی مندر

鹿野苑
Deer Park

सारनाथ डियर पार्क

ہرن پارک

ヴァジュラ・ヴィディヤ僧院
Vajra Vidya Institute

वज्राविद्य मंदिर

وجرودیا مندر

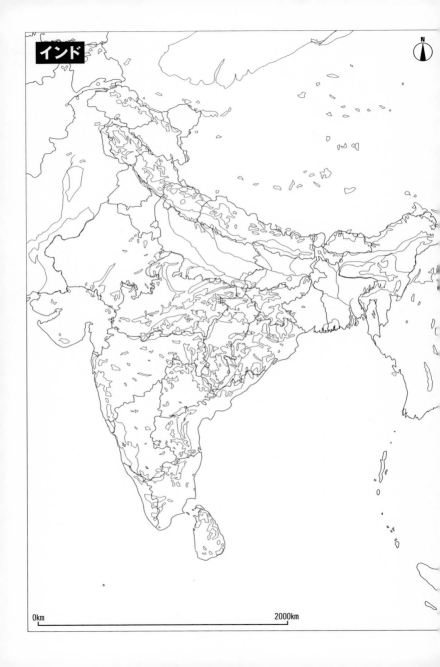

インド

N

0km　　　　　　　　　　　　　　　2000km

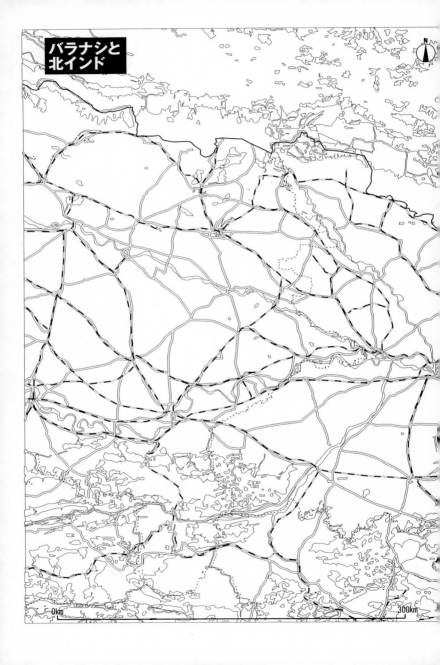

バラナシと
北インド

N

0km　　　　　　　　　　　　　　　　　300km

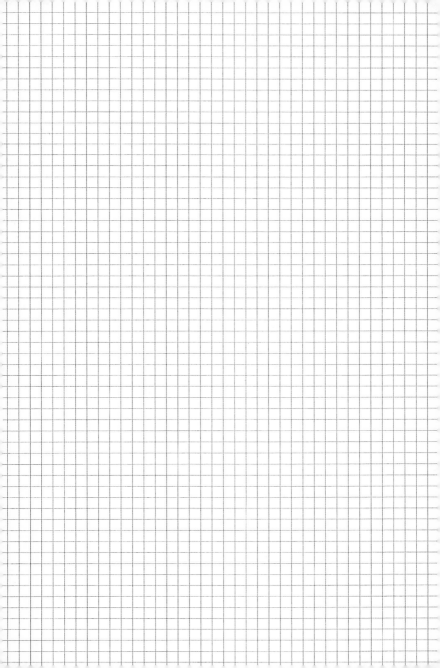

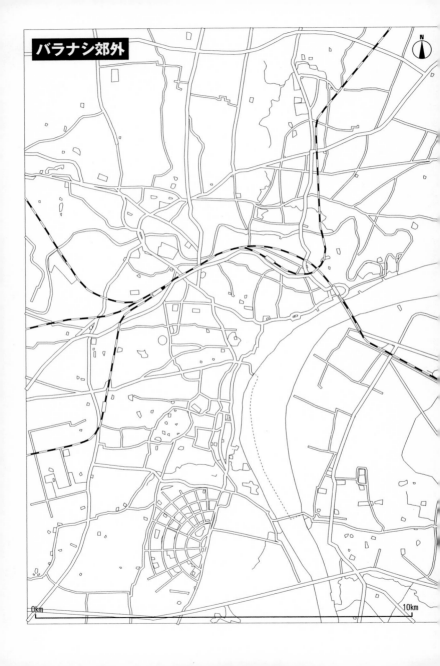

バラナシ郊外

0km　　　　　　　　　　　　　　　　　　　　　　　　　　10km

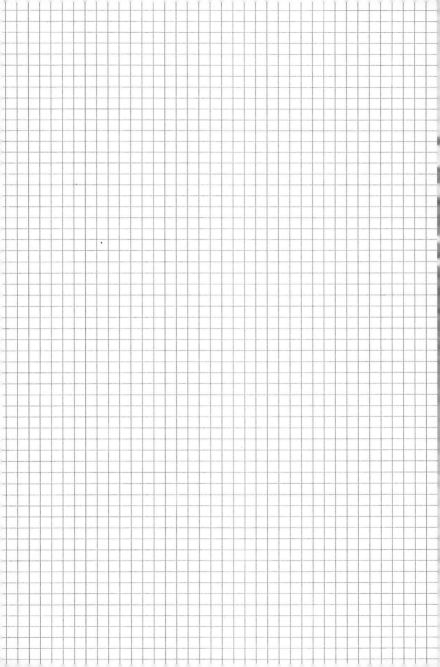

バラナシ

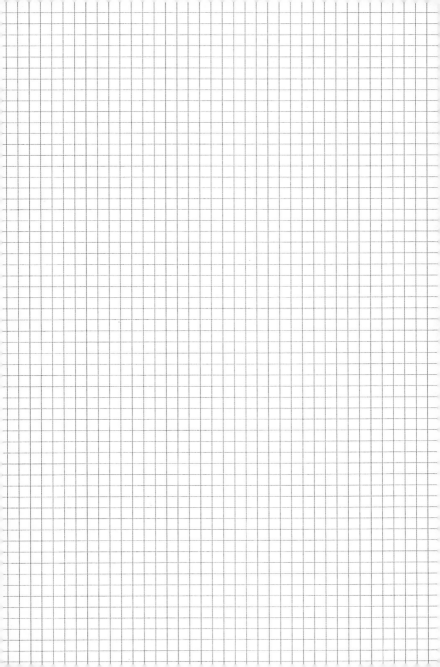

サールナート

0km   1km

N

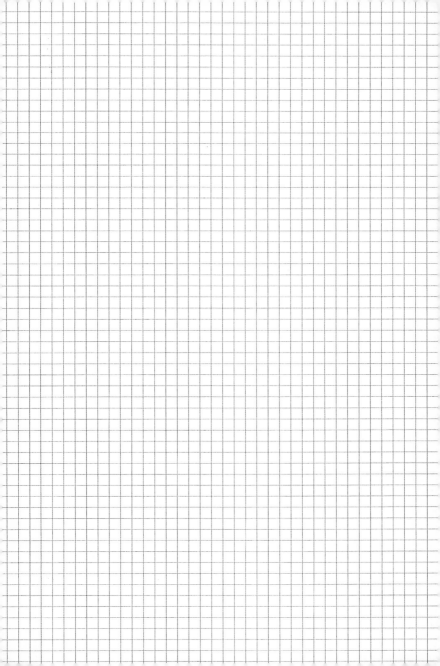

サールナート遺跡

N

0m   500m

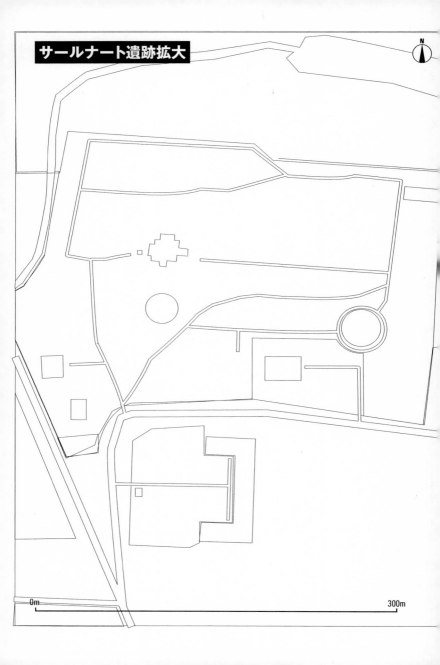

サールナート遺跡拡大

N

0m   300m

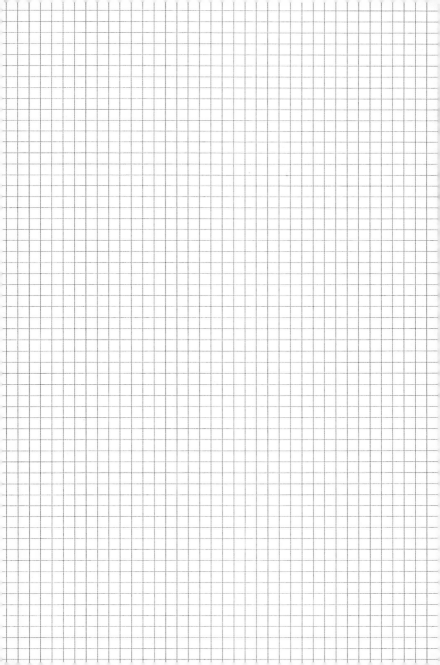

ムルガンダクティ寺院

0m   200m

N

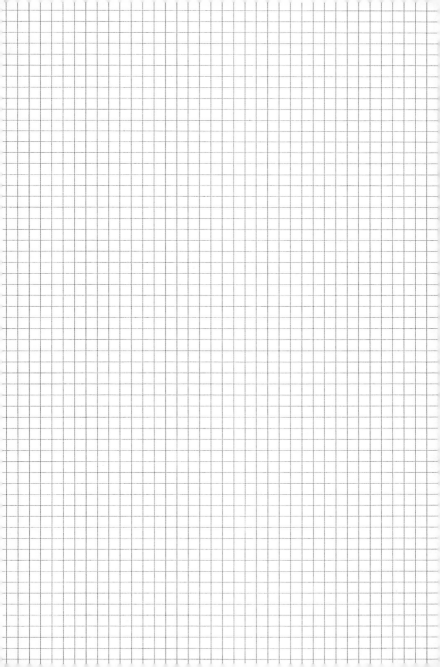

サールナート西部

N

0m							500m

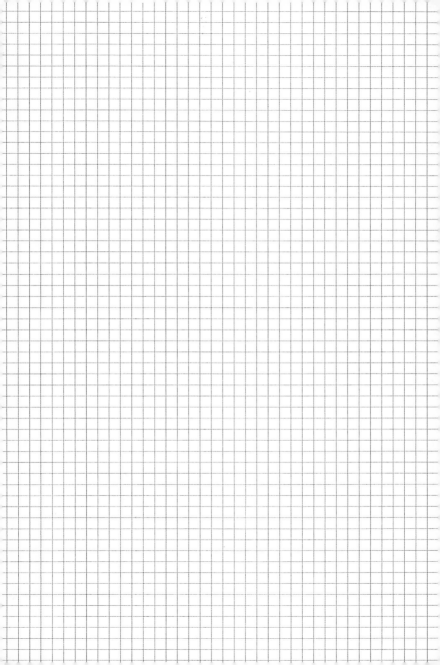

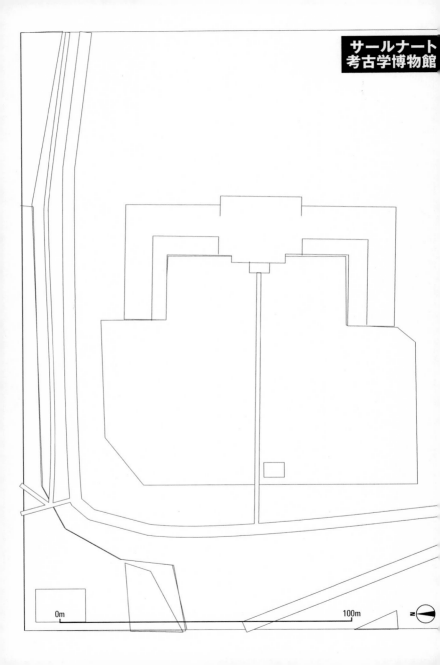

サールナート
考古学博物館

0m　　　　　　　　　　　　　　　　　100m

N

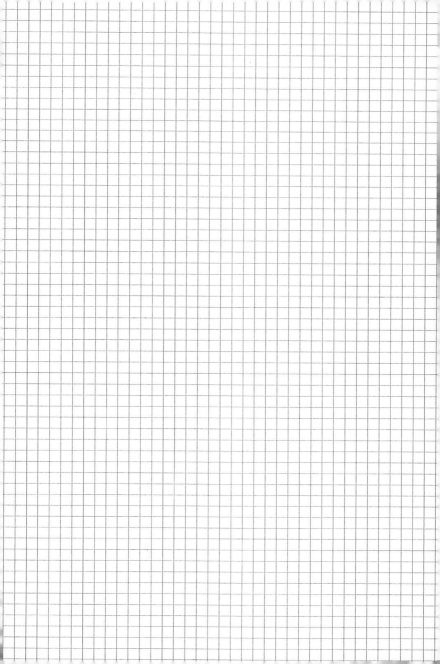

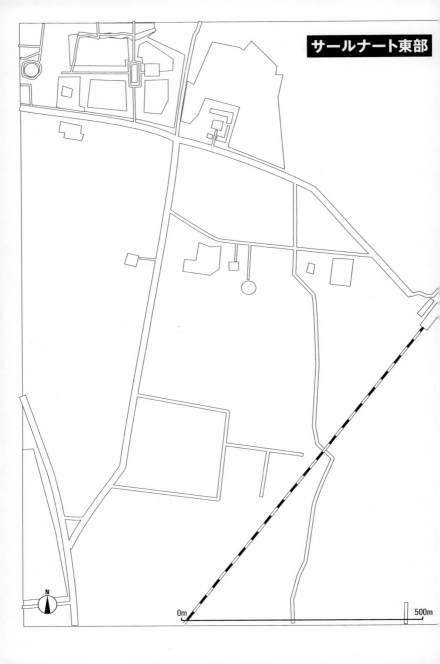

サールナート東部

0m 500m

N

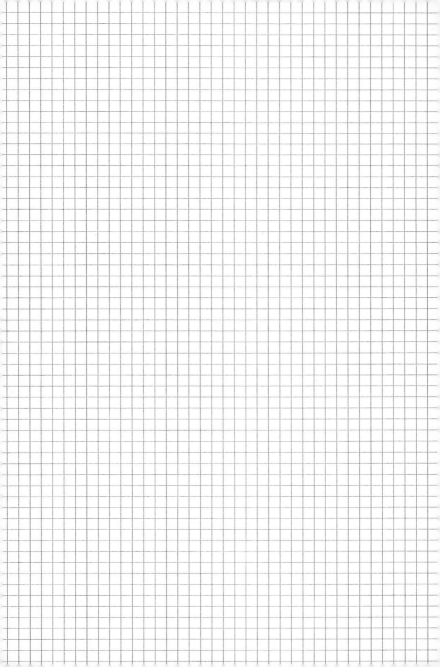

サールナート北部

0km　　　　　　　　　　　　　　　　　1km

N

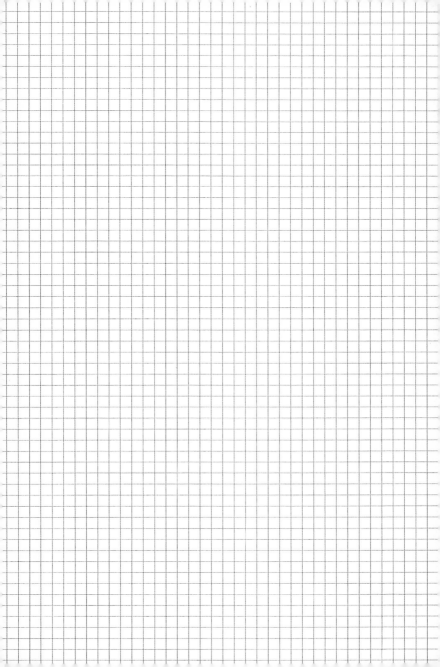

【車輪はつばさ】

南インドのアイラヴァテシュワラ寺院には
建築本体に車輪がついていて
寺院に乗った神さまが
人びとの想いを運ぶと言います

An amazing stone wheel of the Airavatesvara Temple
in the town of Darasuram, near Kumbakonam in the South India

**まちごとインド
北インド 015**

サールナート
ブッダ説法の「鹿野苑」
[モノクロノートブック版]

**「アジア城市（まち）案内」制作委員会
まちごとパブリッシング
http://machigotopub.com**

・本書はオンデマンド印刷で作成されています。
・本書の内容に関するご意見、お問い合わせは、発行元の
　まちごとパブリッシング info@machigotopub.com までお願いします。

まちごとインド
新版 北インド015サールナート
　～ブッダ説法の「鹿野苑」

2020年 9月11日　発行

著　者　　「アジア城市（まち）案内」制作委員会
発行者　　赤松　耕次
発行所　　まちごとパブリッシング株式会社
　　　　　〒181-0013　東京都三鷹市下連雀4-4-36
　　　　　URL http://www.machigotopub.com/
発売元　　株式会社デジタルパブリッシングサービス
　　　　　〒162-0812　東京都新宿区西五軒町11-13
　　　　　清水ビル3F

印刷・製本　　株式会社デジタルパブリッシングサービス
　　　　　　　URL http://www.d-pub.co.jp/

MP319